ドクターエッグ
いきもの入門 ⑥ トカゲ・ヘビ・カメ・ワニ

科学漫画 いきもの観察 シリーズ

かがくるBOOK

目次

第1章 かたいうろこにおおわれた トカゲとヘビ

- 第1話 サソリのスコールの故郷 ・・・・・・・・・・・・ 8
- 第2話 インドネシアのトカゲ ・・・・・・・・・・・・ 20
  - 生き生き図鑑　世界各地のトカゲの仲間　30
- 第3話 コモド島に出発！ ・・・・・・・・・・・・ 32
- 第4話 ジョナサンの提案 ・・・・・・・・・・・・ 42
  - いきもの探しゲーム　ヘビを見つけ出せ！　52
- 第5話 ヘビたちのおしゃべり ・・・・・・・・・・・・ 54
- 第6話 毒ヘビ専門家　ポリー ・・・・・・・・・・・・ 64
  - 生き生き観察レポート　毒ヘビと毒のないヘビの比較　76

第2章 カメとワニを探しに！

第7話	エッグ博士、怪しむ・・・・・・・・・・・・・・80
第8話	本格的！ 脱出成功記・・・・・・・・・・・・・90
	カード遊び 危機脱出 沼から脱出しよう！　　100
第9話	ピンチのオサガメ・・・・・・・・・・・・・・102
第10話	母ワニの涙・・・・・・・・・・・・・・・・・114
	間違い探し ワニの群れ探し！　　124
第11話	ワニの群れに気をつけて！・・・・・・・・・・126
第12話	パパ農場の秘密・・・・・・・・・・・・・・・136
	いきもの探検旅行記　エッグ博士のいきもの探検旅行記　　150

チーム・エッグの制作日記①②・・・・・・・・152
正解・・・・・・・・・156

イラストでは、いきものをデフォルメしています。
写真提供：Shutterstock

ヤン博士

親和力★★★★★

どんな場所でも輝くヤン博士の持ち味、動物と打ちとける力！

- 誕生日　1月1日（やぎ座）
- 血液型　AB型
- 今回のミッション

①ニワトリの卵とヘビの卵を区別

②＊ドッペルゲンガーに会う

③ワニを撮影する

＊自分とそっくりな分身。

ウン博士

探究力★★★★★

爬虫類の子育てを徹底探究するぞ！

- 誕生日　2月17日（みずがめ座）
- 血液型　A型
- 今回のミッション

①サソリのスコールの家族さがし

②毒ヘビを集中探究する

③野生動物を救出する

第1章

かたいうろこにおおわれた
トカゲとヘビ

爬虫類に属するトカゲとヘビは、体中がかたいうろこにおおわれているよ。トカゲとヘビに会いに行こう！

爬虫類天国、インドネシア

宿は市内から少し離れた森の中にあるの。宿に行く途中、インドネシアに生息するいろんないきものが見られるからよく観察してみてね！

デュメリルオオトカゲ

ミミナシオオトカゲ

ウワッ！トカゲとヘビがすごく多い！

スマトラ島

カリマンタン（ボルネオ島）

ミドリニシキヘビ

ジャワ島　バリ島

爬虫類はトカゲやヘビの仲間がもっとも多いんだ。爬虫類の約95％を占めるよ。

イツツオビ（イツスジ）トビトカゲ

アオウミガメ

16

第2話

インドネシアのトカゲ

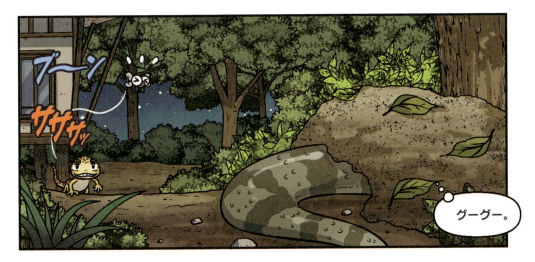

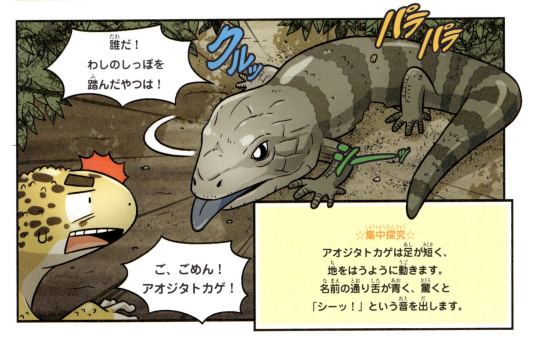

トカゲの特徴

地球上には4000種を超すさまざまなトカゲがいます。熱帯雨林、サバンナなど、主に暖かい環境に生息しています。

トカゲの特徴

- まぶた
- うろこでおおわれた体
- 足
- 切ることができるしっぽ

- ほとんどのトカゲにはまぶたがあります。
- 多くのトカゲはガ、バッタ、ハエなどの昆虫や、クモを捕食します。
- 種類によって、昼行性と夜行性に分けられます。
- 敵に出会ったり脅威を感じたりするとしっぽを切って逃げます。その後、しっぽは再生しますが、完全に元通りにはなりません（しっぽを切らないトカゲもいます）。
- 獲物を捕まえたり走ったりするとき、動きが速くなります。
- 足がないトカゲもいます。

いろいろなトカゲ

ホオグロヤモリ

エリマキトカゲ

アゴヒゲトカゲ

ツノトカゲ

オオトカゲ

ドクトカゲ

カメレオン

イグアナ

世界各地のトカゲの仲間

いろいろなトカゲの仲間をリアルな写真で一緒に見てみましょう。

カメレオン科

熱帯地方に生息し、体の色を変えることができるんだ。それに目を別々に動かせる！

目を動かすだけで周りが見渡せそう！

イグアナ科はしっぽが長く、たてがみ状のうろこを持つ種が多い。昼間に活動する昼行性のトカゲなんだ。

イグアナ科

イグアナの仲間には群れをつくって生活する種もいるよ！

（ヤモリ科）ホオグロヤモリ

インドネシアや日本の沖縄などでよく見られるよ。まぶたの代わりに透明なうろこが目をおおっているんだ。足の裏に細かい繊毛があって壁にも自由に吸いついて動けるんだ！

鳴き声でコミュニケーションをとったり、敵を脅したりするんだよ！

チッ！チッチッ！

地球最大のトカゲ、コモドオオトカゲ

コモドオオトカゲはトカゲの中で最大の種です。インドネシアのコモド島とその周辺の島に生息し、主にほ乳類を捕食します。

コモドオオトカゲの特徴

- **全長と体重** 全長は2～3m、体重は70kg前後です。
- **歯と毒管** 歯の間に強い毒を出す毒管があり、コモドオオトカゲにかまれた獲物はこの毒により死んでしまいます。
- **獲物** 水牛やイノシシ、サルなどのほ乳類、鳥、ヘビ、ウミガメなど。
- **生態** 最大30個ほどの卵を産みます。卵は7～8カ月後に孵化し、卵からかえってから30年ぐらい生きます。成体（おとな）になるまでは安全な木の上にいて、ある程度成長すると地上に下りて生活します。

コモドオオトカゲの生息地

コモドオオトカゲは現在3000匹あまりが生き残っています。しかし、地球温暖化などにより、生息地がせばまり、数が減っています。コモドオオトカゲの保護のためにコモド島を中心に国立公園がつくられ、絶滅危惧種に指定されています。コモド国立公園はユネスコの世界遺産に登録されています。

コモドオオトカゲが見られるコモド国立公園

ヘビのぬけがら

ヘビは成長の途中で何度か、頭からしっぽまで丸ごと脱皮します。ヘビのぬけがらにはうろこの数などの身体的な特徴がそのまま残っているので、ぬけがらを見ただけでどのようなヘビなのか知ることができます。

ヘビが脱皮した後のぬけがら

ヘビの繁殖と成長

ヘビは、爬虫類のヘビ亜目に分類される動物です。ヘビは世界中に3000種以上おり、砂漠、森、水辺など、いろいろな場所に生息しています。

ヘビの成長過程

1. 卵
多くのヘビは木の根元や狭い穴などに数個〜数十個の卵を産みます。

2. 孵化
ふつう7〜10週後に子どもが卵の殻を破って出てきます。

3. 子どものヘビ
殻を破るのに使った小さな歯はすぐに抜け、新しい歯が生えます。

4. 大人のヘビ
ほとんどのヘビは成体になった後も脱皮をくり返し体が大きくなります。

ヘビの卵生と卵胎生

ヘビの多くは卵を産む「卵生」です。でも、卵をすぐに産まずに、体内で孵化させるヘビもいます。日本にもいるマムシはこのようにして生まれてきます。母親のお腹の中で卵が孵化することを「卵胎生」と呼び、まるでほ乳類のように子どもを産んでいるように見えます。

- 子ヘビは卵から出た瞬間、周りがすべて天敵なんだ。
- 親の世話なしに自分の力だけで生きていかなきゃいけないんだ。
- 気をつけて〜！驚かせてごめん！

ヘビを見つけ出せ！

エッグ博士一行をびっくりさせたヘビの仲間6匹を見つけてね〜！
よく見るとニワトリの卵ではないヘビの卵もあるよ〜！

正解：156ページ

第5話
ヘビたちの おしゃべり

ヘビの移動と防御

体が細長いヘビは、足が退化していてありません。視覚、聴覚はあまり発達していませんが、嗅覚と熱感知能力、振動感知能力がすぐれています。

ヘビの頭部

- 鼻孔
- 舌
- ピット器官 熱を感知します。
- 脳
- ヤコブソン器官 においを感知します。

一部のヘビの鼻孔（鼻の穴）周辺には「ピット器官」があります。ここで熱を感知して獲物や敵の位置を探ります。また、舌に付着したにおい物質を口の中にある「ヤコブソン器官」に伝え、においを感じます。

移動

ヘビは地面で、頭を前に押し出すように体をくねくねと波打たせながら素早く移動することができます。足を持たない動物とは思えないスピードです。

防御

ふつうヘビは、脅威を感じなければ自分から先に人を攻撃しません。ヘビは敵が現れるとシッシッと音を出すなど、いろいろな方法で身を守ります。

自分の色に似た周辺のものに体を隠す

死んだふりをして敵の関心をそらす

威嚇的な姿勢で相手を怖がらせる

毒ヘビの頭部と毒ヘビからの身の守り方

毒ヘビの多くは、コブラ科と*クサリヘビ科に属します。毒腺に貯えられている毒は毒牙を通して分泌され、獲物をマヒさせ、食べた後の消化を助けます。

＊クサリヘビ科：マムシやハブが属するヘビの仲間。

毒ヘビの頭部と毒ヘビを区別する方法

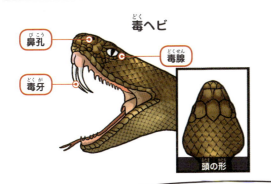
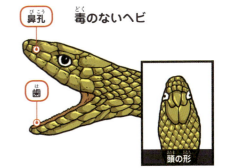

よく頭の形が三角形で*瞳孔が縦に長ければ毒ヘビといわれるけど、そうじゃない毒ヘビもいるので気をつけてね。

＊目の「黒目」と呼ばれている部分。

毒ヘビからの身の守り方

毒ヘビも含め、ヘビは人が先に手出ししなければ攻撃することはまれです。もしヘビに出くわしたら後ずさりしてください。ヘビが出そうな場所では足元に注意しながら気をつけて歩きましょう。

毒ヘビと毒のないヘビの比較

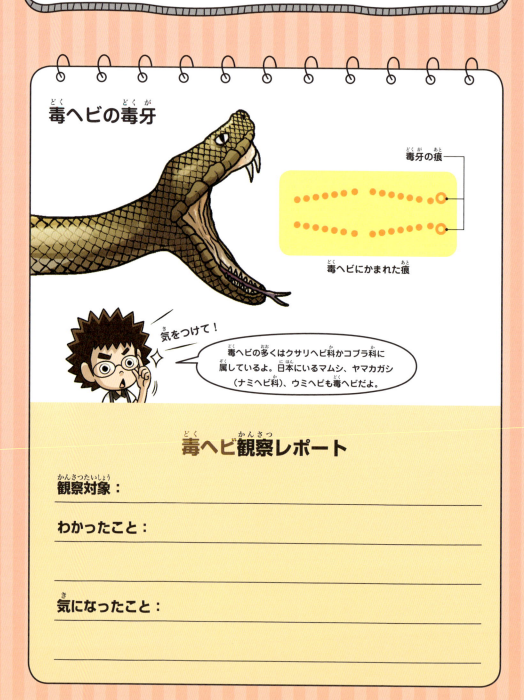

エッグ博士と一緒に観察レポートを自由に書いてみよう。

毒のないヘビの歯

毒のないヘビにかまれた痕

フゥ……！

毒のないヘビにはアオダイショウ、ニシキヘビなどがいるよ。アナコンダ、ボアコンストリクターも毒ヘビじゃないよ。

毒のないヘビ観察レポート

観察対象：

わかったこと：

気になったこと：

第2章

カメとワニを探しに！

爬虫類に属しているカメとワニはかたい皮膚と強いあごの力を誇ります。カメとワニに会いに行きましょう。

第7話

エッグ博士、怪しむ

ウミガメとリクガメ

カメは、生息場所によってウミガメ、リクガメ、ミズガメなどに分けられます。
ウミガメとリクガメを比べてみましょう。

ウミガメ

リクガメ

ウミガメ	特徴	リクガメ
海の中を泳ぎます。	特徴	陸の上を歩きます。
4本の足が平たいひれの形をしています。	足の形	足にじょうぶな爪があります。
甲らのカーブがなめらかで、水の抵抗を受けにくくなっています。	甲らの形	ふくらんでいて、でこぼこしています。
頭と足が隠せない代わりに、甲らにかたい鱗板（板状のうすいうろこ）があります。	天敵からの防御	危険を察知すると甲らの中に頭と足を入れて身を守ります。
ウミガメの仲間	種類	リクガメの仲間

アオウミガメ

アカウミガメ

アルダブラゾウガメ

インドホシガメ

タイマイ

ヒラタウミガメ

ガラパゴスゾウガメ

ケヅメリクガメ

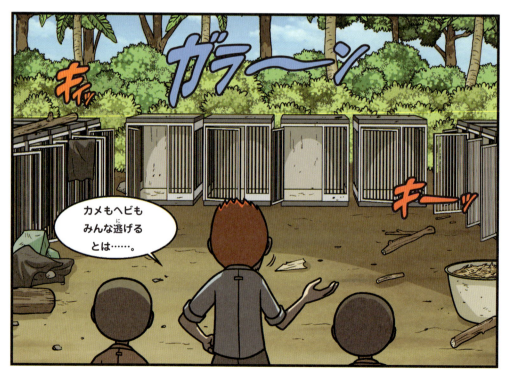

本格的！脱出成功記

オサガメはウミガメの仲間です。

生息地を見つけよう！

パパ教授から逃げ出したいきものたちの生息地はどこでしょうか？
矢印をたどってみましょう。

センザンコウ
熱帯地域の森林や草原に単独で生息しています。

リクガメ
陸だけで生活し、うまく泳げません。

僕はミズガメだよ。みんな、がんばれ！

ミズガメ
主に川や池、沼地に生息します。

ウミガメ
海で生活しますが産卵するときは陸に上がります。

リクガメとセンザンコウの比較観察

リクガメとセンザンコウは種によって大きさがさまざまです。センザンコウはほ乳類ですが、爬虫類のようにかたいうろこで体がおおわれています。2つのいきものを観察してみましょう。

リクガメ

甲ら かたい背甲（背中の甲ら）と腹甲（腹の甲ら）が体をおおっています。

防御姿勢 攻撃を受けると頭と足を甲らの中に入れます。

背甲 / 頭 / 目 / 鼻孔 / あご / 尾 / 足の爪 / 腹甲 / 足

誰だ、お前！ ビクッ

足 皮膚と足の爪がかたく、よく歩けます。

口 歯がありません。上下のあごはくちばしのようになっています。

センザンコウ

防御姿勢 体をボールのように丸めて身を守ります。うろこが鎧の役割をします。

うろこ 頭から尾にかけて体がかたいうろこでおおわれています。胴体の下側にはうろこがありません。

胴体 / 目 / 尾 / 頭 / 鼻孔 / 足の爪 / 足

口 口先がとがっていて歯がなく、長い舌を使ってアリなどを捕食します。

足 かたいうろこでおおわれていて、前足の爪が長い。

カード遊び 危機脱出
沼から脱出しよう！

1．所持品を全部捨てる

リュックサック、カメラなどの所持品を捨てて体の重さを減らしましょう。

2．素早く足を抜く

足が沼に深くはまる前に素早く足を抜き出しましょう。

3．仰向けになる

もし足が深くはまりそうになったら、いったんその場に座って仰向けになりましょう。

4．左右に転がる

ゆっくり浮かんで足が自由になったら、すぐさま左右に転がって沼から抜け出しましょう。

あらら！ ジョナサンが深い沼にはまってしまいました。沼には水と泥がたまっていて、正しい行動をとらないとより深くはまってしまいます！
ジョナサンはどうすればいいでしょうか？
次の8枚のカードの中で間違った行動が書かれている1枚のカードを探してみましょう。

「ウワッ！ 早く見つけて！」

5. 落ち着いて深呼吸する

ばたつくと体がより深くはまるので、落ち着いて深呼吸してください。

6. 棒を使う

周りに棒や板があるなら、寄りかかって沼から足を抜き出しましょう。

7. 力ずくで泳ぐ

平泳ぎの要領で足を思い切りけりながら泳ぎましょう。

8. ところどころで休憩する

沼から抜け出そうとして疲れることがあります。休憩をとりながら体力を回復させましょう。

正解：156ページ

第9話
ピンチのオサガメ

オサガメの足跡の方向から考えると右に行ったようだ……。

ははあ、足跡がくっきり残ってるぞ。

体も大きいし、かなり重いからこんな泥の道じゃ跡が残るのさ。

＊物体が出す赤外線をとらえて温度分布を画像化する装置。

ウミガメの産卵と孵化の例

❶ 砂浜に上がってきた母ガメは後ろ足で湿った砂に穴を掘ります。

❷ 母ガメはピンポン球くらいの卵を100個以上産んだ後、再び海に帰っていきます。

❸ 温かい砂が卵を温め、ふつう2カ月ほどで子ガメが卵を割って出てきます。

❹ 子ガメは自分で砂からはい出し、はっていって海に入ります。

母ワニの涙

☆集中探究☆
子ワニは小さく弱いので、他の動物の餌食になりやすい。

ワニの生態を調べてみましょう

ワニは、爬虫類のワニ目に属し、主に湿地や川、湖などに生息します。イリエワニの場合は、海の真ん中で見つかることもあります。

僕らは体温調節のためによく水中から出て太陽の光を浴びるんだ〜。

ワニの一生

❶母ワニが卵を産んで2〜3カ月ほど経つと、子ワニが殻を破って出てきます。

❷子ワニはしばらくの間、長いと1〜2年の間、母ワニの保護を受けながら成長します。

❸多くのワニは、生まれてから5〜10年経つと、パートナーを見つけて交尾をします。

母ワニの子育て

どう猛なイメージを持つワニは、子育てをする爬虫類としても知られています。母ワニは卵を産んだ後、孵化するまで卵を守り、子ワニが卵から出るときも手伝います。母ワニは子ワニを口に入れたり、背中に乗せて天敵がいない安全な水辺に連れていったりします。

ママの背中は安全な遊覧船〜！

卵を産んだら行ってしまうカメとは違うね〜。

自力で出てくるのよ。

ワニの群れ探し！

ヤン博士とウン博士がワニを探しています。
２つの絵を見比べて、違うものを10個見つけてください！

第11話
ワニの群れに気をつけて！

イリエワニが1匹も見当たらない。

シーン

ここは川だろ。海に行ったんじゃないかな？

いや、イリエワニが海に出て沖合の島に移動することもあるらしいけど、ふつうは川の下流や沼地で過ごすんだ。

そうなの？

ワニの体の特徴と種類

成長したワニは獲物を追いかけるとき、とても素早く動きます。ワニの体の特徴と種類を見ていきましょう。

体の特徴

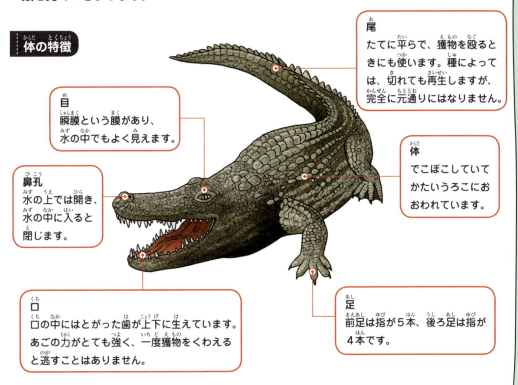

尾
たてに平らで、獲物を殴るときにも使います。種によっては、切れても再生しますが、完全に元通りにはなりません。

目
瞬膜という膜があり、水の中でもよく見えます。

鼻孔
水の上では開き、水の中に入ると閉じます。

体
でこぼこしていてかたいうろこにおおわれています。

口
口の中にはとがった歯が上下に生えています。あごの力がとても強く、一度獲物をくわえると逃すことはありません。

足
前足は指が5本、後ろ足は指が4本です。

種類

ワニは大きくクロコダイル、アリゲーター、ガビアルに分けられます。

クロコダイル

イリエワニ、ナイルワニなど
特徴　約6〜7mまで育ち、歯がとても鋭い。

アリゲーター

ミシシッピワニ、ヨウスコウワニ
特徴　約6mまで育ち、口先が丸みを帯び平たい。

ガビアル

インドガビアル、マレーガビアル
特徴　約6mまで育ち、口先が長く細い。

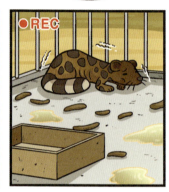

野生動物の不法取引

世界中で野生動物が生存を脅かされています。密猟者が、絶滅が心配される希少な動物などを不法に捕獲し、売り買いを行っているからです。こうした取引が行われることで、ゾウ、センザンコウ、ウミガメなど、多くの動物の個体数がどんどん減っています。不法に取引された動物は検疫や予防接種がしっかりされないため、動物だけでなく人にも病気をうつすことがあります。野生動物の取引は、その被害がそのまま人にも返ってくるのです。野生動物の保護に、私たちみんなが関心を持たなければなりません。

密猟者に捕獲された後、保護されたセンザンコウ

©聯合ニュース

エッグ博士の
いきもの探検旅行記

探検した国：インドネシア

初め
旅行の動機や目的

途中
出発時の天気、
旅行先での
経験やできごと
など

終わり
旅行後の感想

楽しかった旅行を長い間記憶できるように、
エッグ博士といきもの探検旅行記を
書いてみましょう！

ヒント1 旅行先への期待や気になる点を書いてね。

ヒント2 旅行先で体験したことや印象的なことを書いてね。

ヒント3 旅行後、新しく知った事実や感想を書いてね。

解答の例：157ページ

チーム・エッグの制作日記①

チーム・エッグの制作日記②

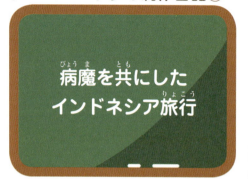

病魔を共にした
インドネシア旅行

クイズの答えを確認する番だよ。正解を確認してみてね。

52〜53ページ

100〜101ページ

124〜125ページ

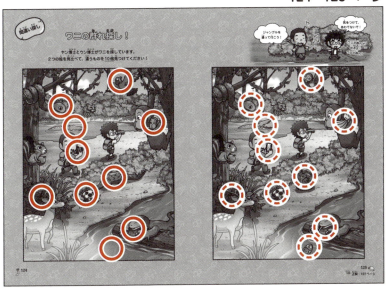

150〜151ページ

에그 박사 6

Text Copyright © 2022 by Mirae N Co., Ltd. (I-seum)

Illustrations Copyright © 2022 by Hong Jong-Hyun

Contents Copyright © 2022 by The Egg

Japanese translation Copyright © 2023 Asahi Shimbun Publications Inc.

All rights reserved.

Original Korean edition was published by Mirae N Co., Ltd.(I-seum)

Japanese translation rights was arranged with Mirae N Co., Ltd.(I-seum) through VELDUP CO.,LTD.

ドクターエッグ6　トカゲ・ヘビ・カメ・ワニ

2023年4月30日　第1刷発行

著　者　文　パク・ソンイ／絵　洪鐘賢(ホンジョンヒョン)
発行者　片桐圭子
発行所　朝日新聞出版
　　　　〒104-8011
　　　　東京都中央区築地5-3-2
　　　　編集　生活・文化編集部
　　　　電話　03-5541-8833（編集）
　　　　　　　03-5540-7793（販売）

印刷所　株式会社リーブルテック
ISBN978-4-02-332244-8
定価はカバーに表示してあります

落丁・乱丁の場合は弊社業務部(03-5540-7800)へ
ご連絡ください。送料弊社負担にてお取り替えいたします。

Translation：Han Heungcheol / Kim Haekyong
Japanese Edition Producer：Satoshi Ikeda
Special Thanks：Kim Suzy / Lee Ah-Ram
　　　　　　　　(Mirae N Co.,Ltd.)

サバイバルファンクラブ通信

おたより大募集

ゆうびんもメールもドシドシ！

ファンクラブ通信は、サバイバルの公式サイトでも読めるよ！

みんなからのお手紙、楽しみにしてるよ～♪

読者のみんなとの交流の場「ファンクラブ通信」は、クイズに答えたり、投稿コーナーに応募したりと盛りだくさん。「ファンクラブ通信」は、サバイバルシリーズ、対決シリーズ、ドクターエッグシリーズの新刊に、はさんであるよ。書店で本を買ったときに、探してみてね！

おたよりコーナー 1

ジオ編集長からの挑戦状

『◯◯のサバイバル』を作ろう！

みんなが読んでみたい、サバイバルのテーマとその内容を教えてね。もしかしたら、次回作に採用されるかも!?

例 冷蔵庫のサバイバル
何かが原因で、ジオたちが小さくなってしまい、知らぬ間に冷蔵庫の中に入れられてしまう。無事に出られるのか!?（9歳・女子）

おたよりコーナー 2

キミのイチオシは、どの本!?

サバイバル、応援メッセージ

キミが好きなサバイバル1冊と、その理由を教えてね。みんなからのアツ～い応援メッセージ、待ってるよ～！

例 鳥のサバイバル
ジオとピピの関係性が、コミカルですごく好きです!! サバイバルシリーズは、鳥や人体など、いろいろな知識がついてすごくうれしいです。（10歳・男子）

おたよりコーナー 3

ケイ館長のサバイバル美術館

みんなが描いた似顔絵を、ケイが選んで美術館で紹介するよ。

上手い！
例

© Han Hyun-Dong/Mirae N

みんなからのおたより、大募集！

① コーナー名とその内容
② 郵便番号
③ 住所
④ 名前
⑤ 学年と年齢
⑥ 電話番号
⑦ 掲載時のペンネーム（本名でも可）

を書いて、右記の宛先に送ってね。
掲載された人には、サバイバル特製オリジナルグッズをプレゼント！

● 郵送の場合
〒104-8011 朝日新聞出版　生活・文化編集部
サバイバルシリーズ ファンクラブ通信係

● メールの場合
junior@asahi.com
件名に「サバイバルシリーズ ファンクラブ通信」と書いてね。

※応募作品はお返ししません。
※お便りの内容は一部、編集部で改稿している場合がございます。

ファンクラブ通信は、サバイバルの公式サイトでも見ることができるよ。

科学漫画サバイバル 検索

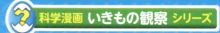

ドクターエッグ

― 好評発売中 ―

科学漫画 いきもの観察シリーズ

ヤン博士
勇敢でたくましく、心優しい行動派。「チーム・エッグ」では主に撮影を担当。

エッグ博士
明るくユニークで、子どもたちに大人気。「チーム・エッグ」として仲間のウン博士、ヤン博士とともに、いきものの魅力を伝えるコンテンツを日々制作している。

ウン博士
いきものについての知識が豊富な知性派。「チーム・エッグ」のブレーン的存在。

理科の基礎を楽しく学べる！ 生物世界への入門書

「いきもの大好き！」なエッグ博士、ヤン博士、ウン博士の3人が、いきものの魅力と生態をやさしく、楽しく伝えるよ！

オオスズメバチに襲われて大ピンチ!!
ドクターエッグ1から

ドクターエッグ①
ハチ・クワガタムシ・カブトムシ 152ページ

ドクターエッグ②
サメ・エイ・タコ・イカ・クラゲ 156ページ

ドクターエッグ③
カエル・サンショウウオ・ヒル・ミミズ 152ページ

ドチザメとの間に生まれた友情
ドクターエッグ2から

ドクターエッグ④
ゲジ・ムカデ・クモ・サソリ 152ページ

ドクターエッグ⑤
カマキリ・ナナフシ・アリジゴク・トンボ 160ページ

ドクターエッグ⑥
トカゲ・ヘビ・カメ・ワニ 160ページ

© The Egg, Hong Jong-Hyun/Mirae N

各1320円（税込み）、B5変

ASAHI 朝日新聞出版